*À Giovanni, Maddalena et Marcello.*

A. L.

*Pour Rose.*

R. B.

www.editions.flammarion.com

Éditions Flammarion - 87, quai Panhard-et-Levassor - 75647 Paris Cedex 13
ISBN : 978-2-0813-5298-8 - N° d'édition : L.01EJDN001147.N001
Dépôt légal : mars 2016
Imprimé au Portugal par Printer - 02/2016
Loi n° 49-956 du 16 juillet 1949 sur les publications destinées à la jeunesse

# DRAGONS amoureux !

Texte
d'Alexandre Lacroix

Illustrations
de Ronan Badel

Père Castor ■ Flammarion

Il était une fois un petit dragon qui s'appelait Strokkur.
Il habitait avec son papa dragon dans une grotte, au cœur d'une vallée.
Comme ils étaient en paix avec leurs voisins les humains,
Strokkur allait souvent au village pour jouer avec les enfants de son âge.

HOTEL

Mais un jour,
une catastrophe arriva.

Une petite fille s'approcha de Strokkur
et l'embrassa.
Sur le museau.

C'était la première fois
que Strokkur recevait un bisou.
Car bien sûr, chez les dragons,
on n'est pas très doux.
On ignore tout des bisous,
des caresses, de la tendresse !
Aussitôt, Strokkur sentit de la fumée
qui s'échappait de ses naseaux.
Tandis qu'un gros bouillon de feu
remuait au fond de lui.

Vite ! Le dragon en panique prit la fuite.
Il s'éloigna de Violette - c'était le prénom de la fillette -
et courut jusqu'à la sortie de la ville.

Quand il fut à l'abri des regards, Strokkur cracha une belle gerbe de flammes et d'étincelles.

Soulagé, il se mit à penser :
« Violette m'a fait un bisou. Bon.
J'ai trouvé ça très doux. Bon.
Mais un volcan s'est réveillé en moi. Quel malheur !
Il ne faut pas que ça recommence,
sinon que va-t-il se passer ?
Ma petite Violette, je vais la brûler.
Que dis-je, je risque de la carboniser !
Vraiment, les dragons ne sont pas faits pour aimer.
Comme c'est dommage, désormais je dois l'éviter. »

HOTEL

Le lendemain, Strokkur n'avait plus goût à rien.
Il traîna ses pattes écailleuses et griffues à travers les rues.
Il évitait tous les endroits où il risquait de croiser Violette.
Il ne s'approcha pas de l'école.
Il évita le square.
Et, bien sûr, la boulangerie où Violette achetait des bonbons ainsi que la rue où se trouvait sa maison.

Le soir venu, il se sentait très seul.

Boulangerie
CAFÉ

Strokkur rentra chez lui et décida de discuter avec son papa.
Il lui expliqua tout : le bisou, l'éruption volcanique qui s'ensuivit
et, surtout, sa peur que cela se produise de nouveau.
- Oh, mais ce n'est pas si grave, lui dit son papa.
Tu ne dois pas avoir honte de ce que tu es, mon dragonnet.
Si tu trouves cette Violette gentille et bien mignonne,
il faut que tu lui déclares ta flamme.
- Déclarer ma flamme... mais qu'est-ce que ça veut dire ?

Alors, son papa lui raconta un souvenir :
- Moi aussi, quand j'étais jeune,
j'ai senti que j'étais amoureux.
Je venais de rencontrer ta maman.
Un soir, je lui ai proposé une promenade
et nous sommes allés tous les deux
au bord de l'étang.
Le soleil venait de se coucher,
le ciel était noir,
c'était le moment parfait.
J'ai senti que ça venait...
C'était pire qu'un briquet, ah ah !
C'était comme de la lave en fusion
qui me sortait des poumons.
Et pffou, je lui ai si bien déclaré ma flamme
que j'en ai grillé quelques étoiles !

En parlant, le papa de Strokkur s'attendrissait.
Mais il n'apportait pas la solution
aux soucis du petit dragon.
Que non ! Sa Violette à lui était une humaine,
à la peau rose et toute fine, aux cheveux
qui auraient flambé comme de la paille.
Pas question d'appliquer avec elle
de pareils conseils !

Le lendemain, Strokkur traîna encore une fois ses pieds froids et crochus à travers les rues, sans savoir où aller…

Mais le soir, alors qu'il allait rentrer chez lui
bien malheureux, il entendit de drôles de cris.
Qui venaient du square.

C'était Erwan qui faisait du raffut.
Erwan était le plus méchant,
le plus fort des bagarreurs de la cour de récré.
Tout le monde le craignait.
Il avait volé le serre-tête de Violette.
Il l'agitait et faisait le clown avec.
Pendant ce temps, Violette boudait.
Les autres garçons couraient après Erwan
et essayaient de l'arrêter.
Mais rien à faire !

Ce coquin-là sautait les bancs et les barrières.
Il tirait la langue et les narguait :
- Vous ne pouvez pas m'attraper !
C'est alors que Strokkur se rappela la leçon de son papa,
qui n'était peut-être pas si inutile que ça.

Erwan continuait à faire ses grimaces, sans prêter attention au dragon qui s'avançait vers lui avec un air lourd de menaces.

Fraoum-pschitt-braoum !
Par la bouche de Strokkur, tout un incendie sortit.
Il cracha son feu jusqu'à la dernière miette d'étincelle.
Résultat, quand la fumée se dissipa, Erwan était noir comme s'il s'était savonné avec du charbon.

Le petit dragon n'eut même pas besoin
d'ajouter un mot.
Tremblant et penaud,
Erwan remit à Violette son serre-tête.

Peu après, Violette s'approcha de Strokkur
et lui toucha du bout des doigts les naseaux.
- Ils sont tout froids, maintenant, lui dit-elle.
Mais Strokkur restait là, bêta,
qui ne comprenait pas.
Le danger était passé, pourtant…
- Eh bien, qu'attends-tu ? Embrasse-moi !
dit-elle malicieusement en tendant la joue.